누에 의 새침대

글·그림 나카야 미와 | 옮김 김난주

누에콩이 가장 아끼는 보물은 바로 침대예요.
구름처럼 푹신푹신하고 솜털처럼 부드럽지요.
그런데 무슨 일일까요?
누에콩이 침대를 보며 얼굴을 찡그리고 있어요.

웅진주니어

그때, 초록풋콩과 땅콩이 놀러 왔어요.
"누에콩아, 안녕! 무슨 일 있니?"

"내 침대가 요즘 힘이 없는 것 같아.
원래는 더 푹신하고 부드러웠는데……."

껍질콩과 완두콩 형제들도 와서 거들었어요.

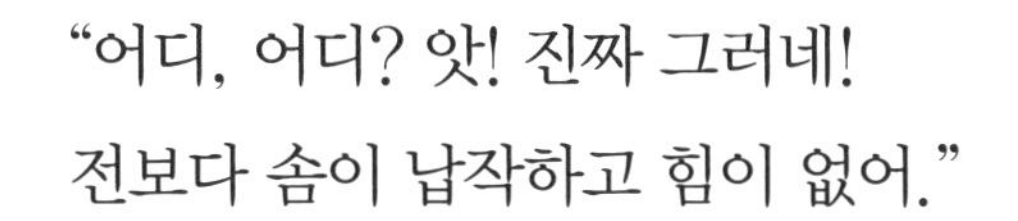

“어디, 어디? 앗! 진짜 그러네!
전보다 솜이 납작하고 힘이 없어.”

"어쩌면 좋지?"
누에콩이 발을 동동 구르자 껍질콩이 말했어요.
"침대 솜을 새로 바꾸는 수밖에 없지, 뭐!"

새로운 솜이라니! 그건 어디서 구할 수 있을까요?

"포근한 솜이 열리는 나무가 있다고 들었어.
솜나무에서 따 오는 건 어떨까?"
초록풋콩이 말했어요.

"좋았어! 그럼 솜나무를 찾으러 다녀올게!"
누에콩은 곧바로 길을 떠났어요.

♪ 누에콩의 침대를 아나요?
구름처럼 포근하고 솜처럼 보드랍지요.
나의 소중한 보물이랍니다!

"개미야, 솜나무를 아니?"
"글쎄, 모르겠는데."

"무당벌레야, 솜나무를 보았니?"
"아니. 못 봤어."

"애벌레야, 솜나무를 아니?"

"하얀 솜이 열리는 나무 말이지?
그런데 어디 있는지는 나도 몰라."

"나비야, 솜나무를 아니?"
"알아, 알아. 민들레밭을 지나
강을 건너면 있을 거야!"

누에콩은 나뭇가지와 이파리로 얼른 노를 만들었어요.
그러고는 침대를 배 삼아 쓰윽 쓰윽 강을 건너갔어요.

시간이 얼마나 지났을까요?
누에콩은 겨우 강 건너에 도착했어요.

하지만 그곳에는 아무것도 없었어요.
누에콩이 이쪽저쪽을 둘러보는데,

"어? 누에콩이다!"
송사리가 인사했어요.

"송사리야, 혹시 솜나무를 보았니?"
"강을 따라 쭉 내려가면 나무 한 그루가 있어. 진짜 솜나무인지는 잘 모르겠지만!"
누에콩은 강을 따라 곧장 내려가기 시작했어요.

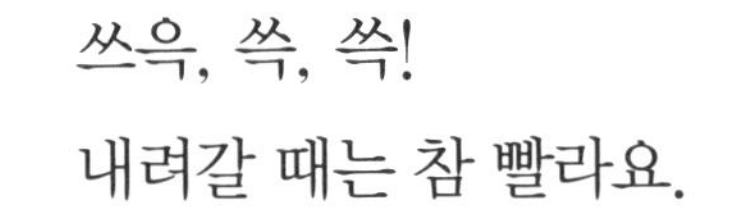

쓰윽, 쓱, 쓱!
내려갈 때는 참 빨라요.

침대 배에
점점 더 속도가 붙었어요.

"으악! 멈출 수가 없네!"

기우뚱

누에콩은 그만
강물에 빠지고 말았어요.

"너, 괜찮니?"
누군가의 말에 누에콩이 벌떡 일어났어요.
눈앞에 보이는 풍경은 아주 새로웠어요.

얼룩무늬가 있는 콩이 말했어요.
"나는 호랑이콩이야. 너는 못 보던 콩인데?"

조그맣고 동글동글한 콩도 말했어요.

"우리는 병아리콩이야."

완두콩 형제와 비슷하게 생긴 콩도 말했어요.

"우리는 깍지콩 자매야."

"나는 누에콩……, 앗! 내, 내 침대는?"

누에콩이 당황해서 두리번거리자, 호랑이콩이 저쪽을 가리켰어요.

"아아, 다행이다!

내 침대가 저기 있어!"

"네 침대, 참 크고 멋지다!"
깍지콩 자매의 말에 누에콩은 우쭐해졌어요.
"이 침대는 내 보물이야.
침대 솜을 바꾸려고 솜나무를 찾는 중이지!"

"솜나무? 바로 옆 동네에 있는 나무잖아!"
호랑이콩의 말을 듣자마자, 누에콩은 깜짝 놀랐어요.

"에이, 솜이 하나도 열리지 않았잖아."
"꽃망울이 맺히고 꽃이 피면, 솜도 곧 열릴 거야!"
친구들이 위로했지만 누에콩은 풀이 폭 죽었어요.

"오래 기다려야겠는걸……
그럼 집에 갔다가 다시 올게!"

그때, 누에콩은 퍼뜩 깨달았어요.
"어떡하지? 집으로 돌아가는 길을 모르겠어!"

고민하던 누에콩은 자기도 모르게 잠이 들었어요.

“누에콩아, 잘 잤어?”
어느새 아침이 되었나 봐요.
낯선 목소리가 누에콩을 깨웠어요.
눈앞의 풍경은 여전히 새롭기만 했지요.
누에콩은 덜컥 겁이 났어요.

"누에콩아, 우리 같이 놀자!"
콩알 친구들이 반갑게 다가왔어요.
친구들을 보자 조금은 안심이 되었어요.
누에콩은 저 멀리 커다란 언덕을 가리키며 말했어요.

"어제는 정말 고마웠어.
내가 제일 좋아하는 놀이를 가르쳐 줄게!"

♪ 누에콩의 침대를 아나요?

구름처럼 포근하고 솜처럼 보드랍지요.

신나는 썰매도 될 수 있답니다!

"꺄악!"

"우아!"

썰매놀이에 모두 신이 났어요.

누에콩과 친구들은 침대 배에도 타 보았어요.
"누에콩의 침대는 잠만 자는 곳이 아니구나. 정말 멋지다!"

시무룩하던 누에콩도
친구들과 함께 놀며 점차 기운을 되찾았어요.

며칠이 지났어요.
날마다 비가 내리자,
호랑이콩이 걱정스럽게 말했어요.

"큰일이네. 비가 너무 오래 오면
솜이 열리지 않을 텐데……."

그 말을 들은 누에콩은 뭔가를 만들기 시작했어요.

"누에콩아, 그게 뭐야?"
"맑음이 인형이야!
이 인형을 추녀 끝에
매달아 두면 날이 개인대.
비가 오는 동안 인형을 만들자."

"우아, 나도 만들어야지!"
"나도, 나도!"

누에콩과 친구들은 함께 인형을 만들어
줄줄이 걸어 놓았어요.

며칠이나 계속해서 비가 오더니
오늘은 날씨가 무척 좋아요.
맑음이 인형 덕분인가 봐요.

어느 화창한 날,
드디어 솜나무에 초록색 꽃망울이
맺혔어요.

꽃망울은 점점 부풀더니……

예쁜 꽃을 피웠어요.

다 피어난 꽃은 신기하게도
분홍색으로 물들었다가 시들고,

꽃이 진 자리에 조그만 공 같은
열매가 열렸어요.

동그란 열매는 며칠에
걸쳐 점점 커지고

어느 날, 마침내
여물어 터지더니……,

새하얀 솜이 나왔어요!

"빨리 집에 가져가고 싶다!"
하지만 누에콩은 다시 슬퍼졌어요.
"참, 집에 가는 길을 잃어버렸지……."

"아니야, 꼭 돌아갈 수 있을 거야. 기운 내!"
콩알 친구들이 누에콩을 위로해 주었어요.
"우리, 솜 따러 가자!"

조그맣던 솜나무가 언제 이렇게 컸을까요?
누에콩과 콩알 친구들은 열심히 나무를 타고 올라갔어요.

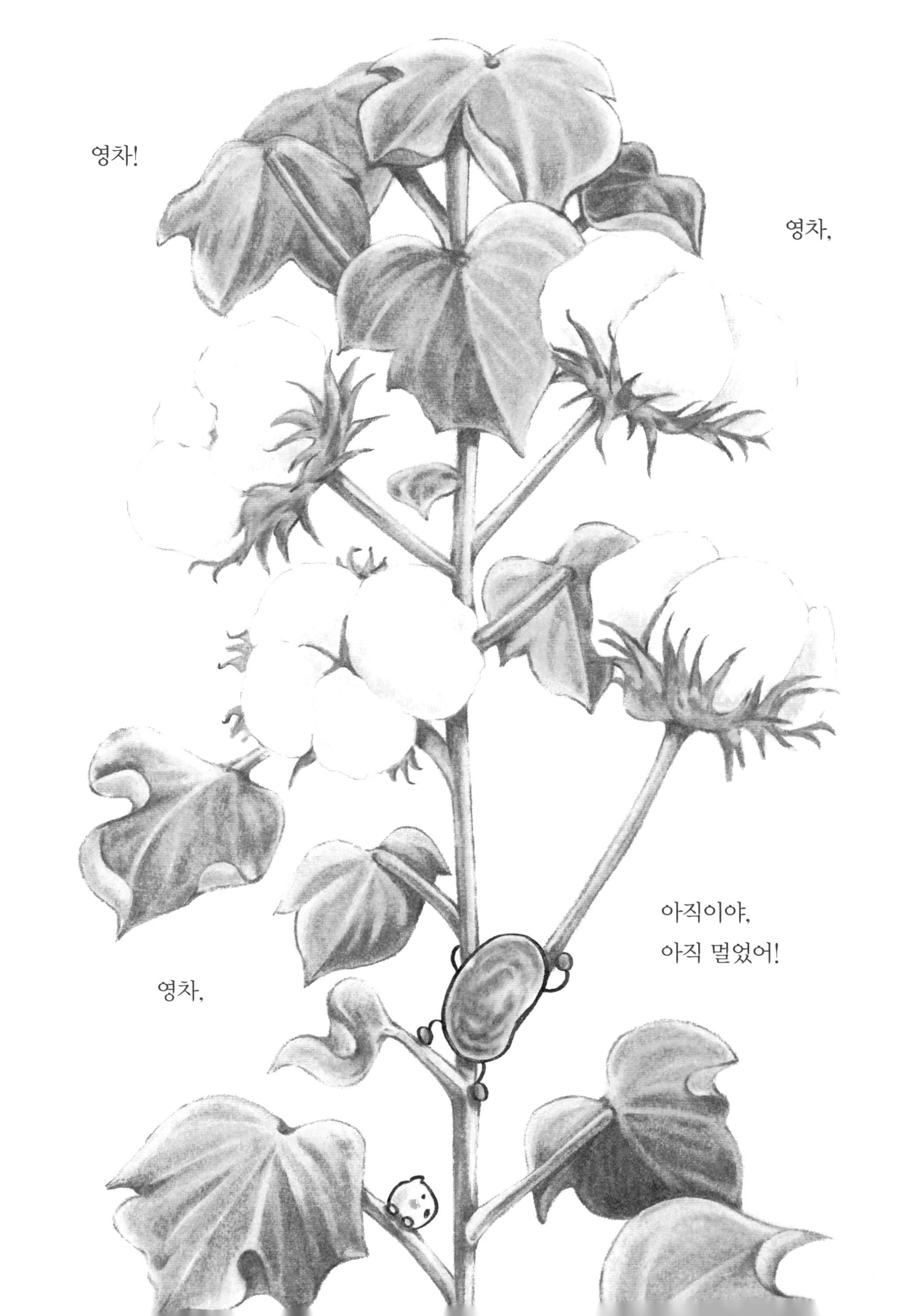
영차!
영차,
아직이야,
아직 멀었어!
영차,

누에콩과 친구들은 마침내 솜이 있는 곳까지 올라왔어요.
"정말 보드랍고 포근하다!"
솜나무 꼭대기에서는 저 멀리까지도 잘 보였어요.

"저기 좀 봐! 저기, 우리 집이 보여!"
누에콩이 기쁜 목소리로 말했어요.
"잘됐다, 누에콩! 우리 아주 가까이 살고 있었구나!"
친구들은 모두 함께 기뻐했어요.

누에콩은 솜을 한 아름 따서 침대 가득 깔았어요.
누에콩의 침대는 다시 부드럽고 푹신푹신해졌어요.
"우아, 새 침대가 되었네. 모두 고마워!"

아쉽지만 이제 헤어질 시간이에요.
"우리 다시 만나자. 다음에는 내 친구들도 데리고 올게!"
"그래, 꼭이야. 누에콩!"

한편 껍질콩과 완두콩 형제들, 초록풋콩은
돌아오지 않는 누에콩을 걱정했어요.

그러던 어느 날……,

"다녀왔습니다!"

"누에콩이 돌아왔다!"
"어서 와, 얼마나 걱정했다고!"

"많이 걱정했지? 미안해.
이건 선물이야!"
"우아, 진짜 부드럽다!"
누에콩이 솜을 건네주자,
모두들 기뻐했어요.

누에콩과 친구들은 솜으로 변장을 하며 놀았어요.
서로를 보며 배꼽을 잡고 웃었지요.

‘친구들이랑 같이 노는 건 정말 신나!’
누에콩은 절로 그런 생각이 들었답니다.

글을 쓰고 그림을 그린 **나카야 미와**는

일본에서 태어나 대학에서 조형과 그래픽 디자인을 전공하고, 산업 디자이너로 일했다.

주요 작품으로는 〈도토리 마을의 서점〉 〈도토리 마을의 모자 가게〉 〈도토리 마을의 빵집〉 〈도토리 마을의 경찰관〉 〈도토리 마을의 유치원〉 〈누에콩의 기분 좋은 날〉 〈누에콩과 콩알 친구들〉 등이 있다.

귀여운 캐릭터들의 활약이 돋보이는 유쾌한 작품들을 주로 선보여 아이들에게 큰 인기를 얻고 있다.

글을 옮긴 **김난주**는

대학에서 우리 문학을 공부하고 일본에서 근대문학을 연구했다. 지금은 일본 문학 번역가로 활동하고 있다.

옮긴 책으로는 〈도토리 마을의 빵집〉 〈도토리 마을의 모자 가게〉 〈누에콩의 기분 좋은 날〉 〈채소 학교와 파란 머리 토마토〉 〈올려다보면, 하늘〉 〈슈바바바바바 미술관〉 등이 있다.

웅진주니어

누에콩의 새 침대

초판 1쇄 발행 2018년 3월 2일 | 초판 9쇄 발행 2024년 2월 29일 | 글 · 그림 나카야 미와 | 옮김 김난주 | 발행인 이봉주 | 편집장 안경숙

편집 최예람 | 디자인 조은화 | 마케팅 정지운, 박현아, 원숙영, 김지윤, 황지영 | 국제업무 장민경, 오지나 | 제작 신홍섭

펴낸곳 (주)웅진씽크빅 | 주소 경기도 파주시 회동길 20 (우)10881 | 문의전화 031)956-7404(편집), 031)956-7569, 7570(마케팅)

홈페이지 www.wjjunior.co.kr | 블로그 blog.naver.com/wj_junior | 페이스북 facebook.com/wjbooks | 트위터 @new_wjjr | 인스타그램 @woongjin_junior

출판신고 1980년 3월 29일 제406-2007-00046호 | 제조국 대한민국 | 원제 そらまめくんのあたらしいベッド

한국어판 출판권 ⓒ 웅진씽크빅, 2018 | ISBN 978-89-01-22181-6 · 978-89-01-02697-8(세트)

솜나무
깍지콩 자매네 집
병아리콩네 집
누에콩과
콩알 친구들의 집
민들레밭
호랑이콩네 집
시냇물
언덕
우리의
모험 지도야!